120 bonnes blagues

Directeur : Sarah Kœgler-Jacquet
Directeur artistique : Florent Salaün
Éditeur : Sylvie Michel
Fabrication : Rémy Chauvière
Conception graphique et maquette : Laurent Nicole, Ivana Vukojicic
Illustrations : Sabrina Arnault, Fabrice Mosca, Marion Vandenbroucke
Remerciements : Marion Lambert, Chantal Maury, Héloïse Vasseur

© 2012, Hachette Livre / Deux Coqs d'Or 43, quai de Grenelle, 75015 Paris.
ISBN : 978-2-01-393597-5 – Dépôt légal : Février 2012 – Édition 01
Loi n° 49-956 du 16 juillet 1949 sur les publications destinées à la jeunesse.
Imprimé en Chine.

120 bonnes blagues

Un fou se promène dans un asile en tirant
une brosse à dents derrière lui.
Un médecin l'aperçoit et lui dit
pour lui faire plaisir :
« Comment va
votre chien ? »

Le fou lui répond :
« Ce n'est pas un chien,
voyons : c'est une brosse à dents ! »
Très étonné, le médecin s'éloigne.
Le fou se penche alors sur la brosse à dents :
« On l'a bien eu, hein, Médor ! »

« Pourquoi les Indiens placent-ils leur main au-dessus des yeux pour regarder au loin ?

– Parce que, s'ils la mettaient devant, ils ne verraient rien ! »

« Comment vont tes enfants ?
– Mon premier a un rhume,
mon deuxième la varicelle,
mon troisième la grippe,
le quatrième va bien et
le cinquième est chez mes parents.
– Oh, moi, tu sais, les charades... »

« Quel est l'animal le plus rapide ?

- L'escargot, car il avance ventre à terre. »

Trois règles pour garder toutes tes dents :
brosse-les après chaque repas,
va chez le dentiste tous les 6 mois

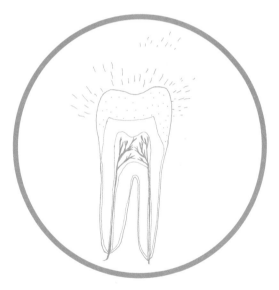

et ne te mêle pas des affaires des autres !

Papa parle avec Caroline :
« Tu sais, ma chérie : on va avoir un enfant !
– Trop bien ! Il faut vite le dire à maman ! »

YOU Pi !

« Quelle est la capitale de Tamalou ?

- Jébobola.» (« J'ai bobo là. »)

« Est-ce que tu aimes aller à l'école ?
demande la maman de Toto.
– Oui, mais c'est trop long entre
les récréations ! »

La maîtresse de maison questionne
la femme de ménage :
« Germaine, le perroquet a disparu.
Vous n'avez rien remarqué d'anormal
en mon absence ?
– Rien, Madame. À part que le chat
s'est mis à parler. »

Maman demande à Paul :
« Qu'est-ce que tu fais, Paul ?
– Rien !
– Et ton frère ?

– Il m'aide ! »

Une virgule rencontre
une apostrophe et lui dit :

« Alors, toujours tête en l'air ? »

Deux fous veulent s'échapper d'un asile.
Le premier dit à l'autre :
« Va voir comment est le portail :
s'il est par terre, on passe par-dessus ;
s'il est en l'air, on passe en dessous. »

Quand le deuxième revient, il est dépité :
« On ne peut pas s'échapper :
il n'y a pas de portail ! »

« Toto, quelle est la 5e lettre
de l'alphabet ?

– EUH...

– Bravo ! »

Deux amis se rencontrent :
« Dis donc, mon vieux, tu peux me prêter 100 euros ?
– C'est que je n'en ai que 60...
– Donne toujours, tu m'en devras 40. »

**Dans la jungle, on a déjà vu
un jaguar prendre son élan,**

**mais jamais un élan prendre
sa jaguar !**

Qu'est-ce qui est rose en haut
et vert en bas ?

Un petit pois torse nu !

« Hé, tu sais : hier, je suis
tombé d'une échelle de
dix mètres !
– Non, pas possible ?!
– Si, si ! Mais je n'étais
que sur le premier
échelon ! »

Pendant la leçon de conjugaison,
le professeur explique :
« C'est simple : si c'est toi qui chantes,
tu dis : " Je chante ".
Si c'est ton frère, que dis-tu ?

– ARRÊTE ! »

Mme Boniface raconte à sa petite fille
l'histoire du Petit Chaperon rouge.
La gamine s'étonne :
« Ben, c'est fini ?
– Oui : je t'ai raconté quand le loup mange
la grand-mère et le Petit Chaperon rouge.
Qu'est-ce que tu voudrais savoir d'autre ?

– Ben, et la galette, qui l'a mangée ? »

Un chiot demande à son père :
« Dis, papa, mon vrai nom,
c'est assis ou couché ? »

« Papa, tu sais : cette nuit j'ai rêvé que
tu me donnais un billet de 10 euros.

- Ah oui ? Eh bien, comme tu as été sage,
tu peux le garder, mon chéri ! »

Maman Iceberg vient d'accoucher.
Papa Iceberg est fou de joie :

« C'est un glaçon ! »

Un maître d'école demande à Toto :

« À quoi servent les oreilles ?

– À voir.

– Mais non !

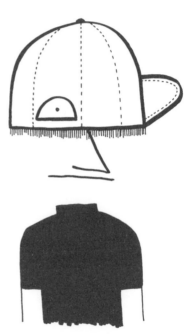

– Mais si ! Sans les oreilles, ma casquette tomberait sur mes yeux ! »

« Comment appelle-t-on
un ascenseur au Japon ?

– En appuyant sur le bouton ! »

Une maman vient d'accoucher et questionne sa fille sur le prénom du bébé.

« Poil-de-souris !

– Hein ? Mais ce n'est pas possible, chérie, enfin !

– Et pourquoi pas ? Notre cousine s'appelle bien Barbe-à-rat ! »

« Écoute, papa, j'aime l'école.

C'est le travail que je hais ! »

Deux canards se croisent sur une berge.
« Coin, coin ! fait le premier.

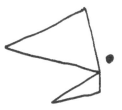

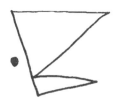

– Ça alors, c'est fou ! répond l'autre.
J'allais dire exactement la même chose ! »

« Pourquoi faut-il fermer l'œil quand on vise ?

– Parce que, si on ferme les deux, on ne voit plus rien. »

Une poule, dans son poulailler,
se plaint : « Quel froid de canard ! »
À ce moment, un canard passe et dit :

« Tu as raison : j'ai la chair de poule ! »

Une journaliste demande à un explorateur :
« Quelle est la peau de l'animal que vous avez eu le plus de mal à rapporter de vos chasses ?

– La mienne, pardi ! »

Des escargots se promènent en famille
à la plage.
Soudain, ils croisent une limace :

« Quelle horreur !
Une plage de nudistes ! »

Au restaurant, M. Dupont est scandalisé :
« Garçon, il y a une mouche qui nage dans mon assiette !
– Oh, c'est encore le chef qui a mis trop de potage : d'habitude, elles ont pied ! »

Un monsieur entre
dans le commissariat de police,
accompagné d'un pingouin.
« Je viens de trouver cet animal.
Que dois-je faire ?
– Eh bien, allez au zoo », conseille un policier.
Le lendemain, le policier croise le même
homme dans la rue, toujours avec son pingouin.
« Je vous avais dit d'aller au zoo ! dit l'agent.
– C'est ce que j'ai fait !
Mais on s'est tellement bien amusés,
qu'aujourd'hui on va au cinéma ! »

« Tu as mangé tous les éclairs au chocolat qui étaient dans le frigo ! Tu n'as même pas pensé aux autres !

– Ah mais si ! Je me disais justement : " Pourvu qu'ils ne rentrent pas tout de suite ! " »

« J'ai quatre bras,
trois jambes
et deux têtes :
qui suis-je ?
– Un menteur ! »

Le petit Charles arrive en retard à l'école.
La maîtresse est en colère :
« Charles, pourquoi ce retard ?
– Eh bien, je rêvais que je regardais
un match de foot à la télévision.
– Et alors ?
– Il y a eu des prolongations. »

« Tu sais, chérie, ta tarte me rappelle
celles que fait ma mère.
– Oh ! merci. Ta mère est une si bonne
cuisinière !

– Oui ; mais s'il y a une chose qu'elle rate
toujours, ce sont bien les tartes ! »

« Mon fils est vraiment extraordinaire !
Il n'a que trois ans et il sait déjà dire
son nom à l'envers comme à l'endroit !
– Pas possible ? Comment s'appelle-t-il ?

– Bob ! »

Un zéro dit
à un huit :

« Tu as mis une ceinture ? »

Une maman moustique dit à ses petits :
« Ne vous approchez jamais
des humains : ils sont dangereux.
– Mais non, maman. Hier, il y en a
un qui a passé la soirée à m'applaudir ! »

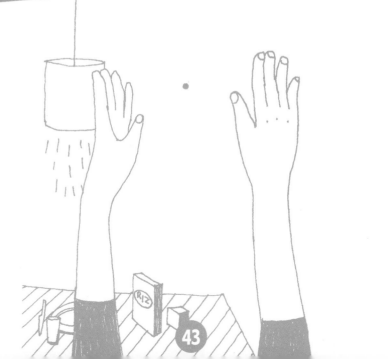

43

« Matthieu, as-tu pensé à donner
à manger au poisson rouge ?

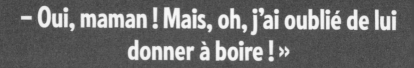

– Oui, maman ! Mais, oh, j'ai oublié de lui
donner à boire ! »

« Pourquoi as-tu des cheveux blancs ?
demande Toto à sa maman.
– À chaque fois que tu fais une bêtise,
mes cheveux deviennent blancs !

– Alors qu'as-tu fait à Grand-mère
pour qu'elle en ait autant ? »

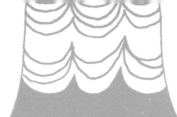

Hier soir, j'ai participé à un concert.
« Comment ça s'est passé ?
– Pas très bien.
– Ah bon ? Pourquoi ?
– Quand je me suis assise au piano,
tout le monde a éclaté de rire.
– Tu as si mal joué que ça ?
– Non, mais il n'y avait pas de tabouret. »

À l'école, le maître donne
un problème de maths :

« Alexandre a cinq cartes Pokémonstres
dans sa poche et Lola lui en prend deux.
Combien lui en reste-t-il ?

– Elle n'a pas intérêt ! »
s'exclame alors Alexandre du fond
de la classe.

Quelle est la boisson qui n'aime pas attendre ?

Le citron pressé.

« Alors, les maths, ça marche bien ?

– Oh non, je nage, avoue Toto.

– Et en français, ça va mieux ?

– Oh ! là ! là ! Je nage aussi !

– Bon, alors, le sport, la natation, qu'est-ce que ça donne ?

– Alors là, je coule... »

« Tu connais la différence entre le feu et l'eau ?
– Non.

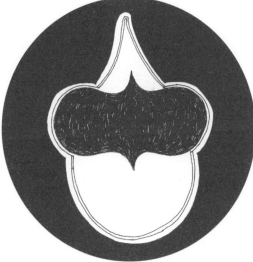

– Alors ne va pas te baigner. »

Une maman dromadaire
gronde son petit :
« Si tu n'es pas sage, tu seras privé
de désert ! »

Rentrant de l'école, le petit Martin va voir sa mère :

« Maman, il faut qu'on aille chez le docteur.

– Ah bon ? Qu'est-ce qui t'arrive ?

– Moi, rien. Mais regarde ce que le maître a marqué sur mon cahier :

– " Soignez votre écriture " ! »

La maman de Toto :

« Mais pourquoi as-tu de si mauvaises notes ?

– Parce que ce n'est pas moi qui les mets, tiens ! »

« Aaatchooummm !
– Dis donc, Toto, tu pourrais mettre ta main devant la bouche.
– Oh, j'ai déjà essayé, ça ne m'empêche pas d'éternuer ! »

Un voleur cambriole une maison.
Tout à coup, il entend une petite
voix qui lui dit :

« S'il vous plaît, monsieur, prenez
aussi mon carnet de notes ! »

« Écoute, dit une maman à sa petite fille,
si tu es sage, tu iras au ciel,
et si tu n'es pas sage, tu iras en enfer.
– Et qu'est-ce que je dois faire pour aller
au cirque ? »

Au zoo, une maman prévient sa petite fille :
« Ne t'approche pas trop de l'ours polaire :
tu pourrais t'enrhumer ! »

Deux bébés font la sieste dans le même lit.

« Tu es un garçon ou une fille ?
demande l'un des deux.

– Je ne sais pas...

– Attends, je vais regarder. »

Le bébé soulève le drap puis, ayant bien observé,
déclare :

« Tu es une fille, on t'a mis des chaussons roses. »

Toto se plaint :
« J'aurais aimé vivre au Moyen Âge !
– Pourquoi donc ?
demande sa maman.

– Parce que j'aurais eu moins
d'histoire à apprendre ! »

Toto regarde des déménageurs travailler.
L'un d'eux transporte une grosse horloge
sur le dos.
« Mais pourquoi il ne porte pas
une montre au poignet comme tout
le monde ? » s'exclame Toto.

C'est l'anniversaire d'Aurélia.
Sa maman s'apprête à découper le gâteau.
Aurélia lui demande :
« Tes lunettes grossissent bien ce que
tu regardes ?

– Oui, ma chérie.
– Alors, est-ce que
tu pourrais les enlever
avant de me couper
ma part, s'il te plaît ? »

Deux pizzas sont dans un four :
« Pfiou ! dit la première,
qu'est-ce qu'il fait chaud ici. »
Et l'autre, effrayée :
« Au secours ! Une pizza qui parle ! »

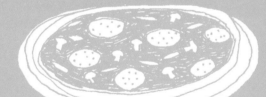

Un voleur s'apprête à pénétrer dans une maison
quand il tombe sur un écriteau
« Attention, perroquet méchant ».
Il crochète la porte, entre dans la maison
et entend le perroquet crier :

« Vas-y, Rex ! Attaque ! »

« Je me demande si ma mère n'est pas un peu distraite, confie Tom à son copain. Le soir, quand je suis bien réveillé, elle me met au lit, et le matin, quand je dors, elle me réveille ! »

Une mère dit à sa fille :
« Juliette, viens m'aider
à changer ton petit frère.
– Pourquoi ? Il est déjà usé ? »

« Comment appelle-t-on un chien
qui n'a pas de pattes ?
– On ne l'appelle pas : on va le chercher ! »

« Pourquoi faut-il rester
devant la télé le soir ?

– Parce que, si on se met derrière,
on ne voit rien ! »

Maman demande à Toto :
« Tu prêtes bien ta luge à
ton petit frère ?
– Oh oui, maman : moi, je l'ai pour
descendre, et lui, pour monter ! »

« Maman, maman, j'ai eu 20.

– Très bien, ma chérie, et en quoi ?

– Eh ben, j'ai eu 6 en géographie,

5 en histoire, 4 en orthographe,

3 en calcul et 2 en gymnastique.

En tout, ça fait 20 ! »

Pourquoi les blondes ne font-elles jamais de glaçons ?

Parce qu'elles n'arrivent pas à se souvenir de la recette !

« Oh ! Regarde, papa, une étoile filante !
s'écrie Léa.

– J'espère que tu as eu le temps de faire un vœu.

– Oui, et j'espère qu'il se réalisera, sinon j'aurai
0/20 en géographie !

– Ah bon ? C'était quoi, ton vœu ?

– Que Londres devienne la capitale de l'Italie,
avant que la maîtresse ne corrige les copies. »

Un fantôme dit à un autre :
« Il y a un mouchoir qui te suit.

– Je sais : c'est mon fils ! »

Un homme veut acheter un perroquet.
Le vendeur lui en propose un fabuleux :
« Regardez : si vous lui tirez la patte gauche,
il parle anglais !
- Croââ ! How do you do ?
- Et si vous lui tirez
la patte droite,
il parle français !
- Croââ !
Bonjour,
bonjour !
- Et si je lui tire les deux ?
demande le client.
- Croââ ! Je me casse la figure ! »

« Pourquoi les vaches ne parlent-elles pas ?

– À cause de la pancarte " La ferme ". »

« Papa, mon professeur m'a puni
pour une chose que je n'ai pas faite !
– C'est injuste ! Quoi donc ?

– Mes devoirs ! »

Deux enfants regardent
un panneau de circulation
« Ralentir : école ».
Ils échangent un coup d'œil.

« Ils ne pensaient tout de même
pas qu'on irait en courant ? »

La maîtresse dit sans se retourner:
« Toto, tu me feras cent lignes
pour avoir bavardé en classe.
– Mais c'est pas moi, madame !

– Pourtant, je t'ai bien entendu.
– Alors, c'est que je parle en dormant ! »

« Papa, qu'est-ce que tu voudrais pour ton anniversaire ?
– J'aimerais que tu me rapportes un bon carnet de notes.

– Trop tard, je t'ai déjà acheté une cravate ! »

En Angleterre, deux vaches
discutent dans un pré :
« Hé, ça ne te fait pas peur
la maladie de la vache folle ?

– Oh, non tu sais,
moi je m'en fiche :
je suis un lapin ! »

« Pourquoi un mille-pattes
ne peut-il pas jouer au football ?

– Parce que, le temps d'enfiler
ses chaussures, le match est fini ! »

Le maître demande à Margot :
« Peux-tu aller au tableau et nous montrer
sur la carte où est l'Amérique du Nord ? »
La jeune fille obéit.
Le maître demande alors aux autres élèves :
« Savez-vous qui a découvert l'Amérique ?
– C'est Margot, m'sieur ! »

Jérémie dit à sa copine :
« J'ai rendu feuille blanche au contrôle.

– Zut, moi aussi !
La maîtresse va croire qu'on a copié ! »

« Quelle est la différence entre
un gendarme et une Cocotte-Minute ?

– Aucune, quand les deux sifflent,
c'est cuit ! »

La maîtresse demande à Clément :
« Tu as écrit : "Il alla dans le shampoing."
Ça n'a pas de sens !
– Mais c'est vous qui l'avez dit !

– Non, j'ai dicté :
"Il alla dans le champ. Point." »

Un homme très costaud entre dans un café et crie :
« Hé, qui s'appelle Marc, ici ? »
Un type, accoudé au comptoir, répond :
« C'est moi. »
Le costaud s'approche, lui casse la figure et s'en va.

Un homme vient aider
le malheureux à se relever :
« Il vous a bien eu, hein !
– Non, répond le type
à terre, c'est plutôt moi :
je m'appelle Robert. »

« Monsieur, savez-vous que votre chien
aboie toute la nuit ?
– Oh, ça ne fait rien,
il dort toute la journée ! »

Toto rentre de l'école :
« Papa ! Tu vas être fier de moi !
J'ai été le seul à répondre à la question
du maître !
– Et c'était quoi la question ?

– Il a demandé :
"Qui a posé une punaise sur ma chaise ?" »

Un père se fâche après son jeune fils :
« Paul, ne touche pas aux allumettes,
sinon tu auras une fessée.

– Promis, juré... De toute façon,
ne t'inquiète pas, j'ai un briquet. »

Une dame se présente chez le pharmacien :
« Bonjour, monsieur ; je voudrais de l'acide
acétylsalicylique, s'il vous plaît.
– Vous voulez dire "de l'aspirine" ?

– Ah ! oui, c'est cela… je ne me souvenais
plus du nom. »

Un monsieur dresse des panneaux
« Attention au chien » partout dans son jardin.
Son voisin s'étonne :
« Pourquoi toutes ces pancartes ?
Ton chien est minuscule.
– Justement, c'est pour qu'on ne l'écrase pas !

La maman d'Émilie n'est pas contente :
« Dis : je t'avais demandé de surveiller
ta montre ! Regarde : le lait a débordé !

– Mais, maman, je l'ai fait ! Il était même
19 h 14 quand ça s'est passé ! »

Mamie dit à son petit-fils :
« Puisque c'est ton anniversaire,
je vais te faire un gâteau
avec douze bougies !

– Tu sais, mamie, je préférerais que tu me
fasses douze gâteaux avec UNE bougie. »

Un fou dit à un autre :
« Tu crois que la Lune est habitée ? »
L'autre répond :

« Bien sûr, elle est allumée
tous les soirs ! »

« J'ai aperçu ta copine l'autre jour, mais elle ne m'a pas vu.
– Je sais : elle me l'a dit. »

Amandine dit à sa maîtresse :
« Vous savez, madame : mon papa a dit que,
si mes notes ne remontaient pas très vite,
eh ben, il connaissait quelqu'un qui aurait
de ses nouvelles ! »

Toto rentre à la maison après sa première
journée à l'école primaire.
Sa maman lui demande :
« Alors, Toto, tu as appris beaucoup
de choses aujourd'hui ?

– Pas assez, semble-t-il, la maîtresse veut
que je revienne demain. »

**Dans le train, le contrôleur
dit à une vieille dame :
« Votre billet est pour Bordeaux.
Or, ce train va à Nantes.**

**– C'est ennuyeux, dit la voyageuse.
Ça arrive souvent au conducteur
de se tromper comme ça ? »**

« Maman, j'ai faim. Qu'est-ce que tu as mis à cuire dans la poêle ?
– C'est du poisson pané, ma chérie.
– Oh, zut alors ! S'il n'est même pas encore né, on n'est pas près de dîner ! »

Le père de Toto demande :
« Pourquoi le maître t'a-t-il mis au coin ?

– Parce que je ne sais pas ce qu'est
un angle droit ! »

Un fou marche

dans une rue

en traînant une ficelle derrière lui.

« Qu'est-ce que vous faites ?

lui demande un policier.

– Si vous voyez l'homme invisible,
dites-lui de ne pas s'inquiéter,
monsieur l'agent :

j'ai retrouvé son chien ! »

1er prix

« Comment s'appelle la grande
course en chaussures de plage ?
– Le maratongue. »

Le père de Toto, en colère, interroge son fils :
« Non mais, tu as vu tes notes, Toto !
C'est lamentable. J'aimerais savoir
si ton copain Ernest rentre chez lui
avec des 0 et des 5 sur 20 sur son carnet...
– Non, mais lui c'est différent, ses parents
sont intelligents... »

La maîtresse demande à ses élèves :
« Quel est le meilleur moment pour cueillir des cerises ? »
Toto lève le doigt.
« Quand le chien de la voisine est attaché, madame ! »

Le docteur Lejeune demande
à son patient :
« Pourquoi n'êtes-vous pas venu
me voir plus tôt ?

– Je ne pouvais pas, docteur,
j'étais malade ! »

Deux enfants se retrouvent dans la cour de récréation, l'un dit à l'autre :
« Tu m'avais donné ta parole, et tu ne l'as pas tenue !
– Je ne pouvais pas la tenir, puisque je te l'avais donnée ! »

« Que disent deux grains de sable
dans le désert ?

– Ne te retourne pas :
je crois qu'on est suivis. »

« Que fait le chien ?
– Il aboie !
– Que fait le chat ?
– Il miaule !
– Que fait
le mouton ?
– Il bêle !

miaou

méééé

WAOUF

– Que fait le lion ?
– Il les mange ! »

« Nos voisins doivent être
très pauvres.
Ils font toute une histoire

parce que leur bébé a avalé
une pièce de 1 € ! »

Un petit garçon demande à son père :
« Papa, de qui vient mon intelligence ? »
Le père lui répond :

« Elle doit venir de ta mère parce
que, moi, j'ai encore la mienne. »

« Mais tu triches !
– Oui, pépé !

– Tu sais ce qui
arrive aux tricheurs ?
– Oui, ils gagnent ! »

« Le cuisinier a été arrêté.
– Pourquoi ?

– Il battait des œufs ! »

Deux poissons se rentrent dedans.
« Désolé, dit le premier,
j'avais de l'eau dans les yeux ! »

112

Aurélien est très mauvais en calcul.
Son père décide de l'aider :
« Voyons : si je te donne cinq bananes
et que je t'en prends deux, il en restera
combien ? »

Alors Aurélien répond, en pleurs :
« J'sais pas ! À l'école, on compte
toujours avec des pommes. »

« Sais-tu qui a trois bosses ?

– Un chameau qui s'est cogné ! »

Sur une plage, un touriste remplit à moitié une bouteille d'eau de mer.
Un autre, intrigué, le regarde :

« Pourquoi faites-vous ça ?

– Pour garder un souvenir de mes vacances.

– Mais pourquoi vous ne la remplissez pas entièrement ?

– Pour que le bouchon ne saute pas au moment de la marée. »

Toto va voir sa maman :
« Maman, Maman... je me suis fait mal !
– Où ça ?
– Là-bas. »

Le célèbre détective Sherlock Holmes
et son ami le docteur Watson font
du camping. Au milieu de la nuit,
Sherlock réveille Watson :
« Dites-moi, Watson : en voyant toutes
ces étoiles, logiquement que pouvez-
vous en déduire ?
– Eh bien… Qu'il fera beau demain ?
– Vous n'y êtes pas, mon cher.
On nous a volé la tente. »

Un éleveur de lapins se vante :
« Oh, moi, pour attraper les lapins,
j'ai un truc infaillible : je me cache
et j'imite le cri de la carotte ! »

« Que dit un policier quand il arrête un citron.

– " Plus un zeste ! " »

Lucas réclame 3 euros à son père.

Celui-ci demande :

« Pour quoi faire, cet argent ?

– Pour donner à une vieille dame.

– Bravo ! C'est bien de vouloir l'aider.

Où est-elle, cette dame ?

– Là-bas : elle vend des glaces ! »

Un peu de code de la route...
Tu es dans une voiture,
tu as un vélo devant toi,
un avion au-dessus de toi,
et un cochon derrière toi.
Peux-tu doubler ?

NON, car tu es sur un manège !

Un homme hésite à acheter des fruits
et s'approche du vendeur :
« Ces pommes viennent du Québec
ou des États-Unis ?

– C'est pour les manger
ou pour causer avec ? »

« Est-ce qu'il faut savoir nager
pour voyager en bateau ?

– Vous connaissez beaucoup
de personnes qui savent voler
dans un avion ? »

Un petit garçon demande à son papa :
« Papa, tu sais écrire dans le noir ?
– Oui, bien sûr, et sans faute
d'orthographe en plus !

– Très bien, je vais éteindre la lumière
et tu signeras mon carnet de notes. »

Toto, intrigué, regarde sa maman mettre
de la crème sur son visage :
« Qu'est-ce que tu fais, maman ?
– Je me mets de la crème pour être belle,
mon chéri. »
Et disant cela, elle retire la crème
en trop à l'aide d'un coton.
Toto, qui observe toujours sa maman,
lui demande alors :

« Qu'est-ce qui se passe ? Tu abandonnes ? »

Une petite fille rentre toute contente
de l'école :
« Maman, maman, tu connais
la dernière ?
– Non ?

– C'est moi ! »